Pour ma chère femme Kay Pallister Spier et pour ses parents [...] Mervin Pallister, les meilleures personnes au monde !

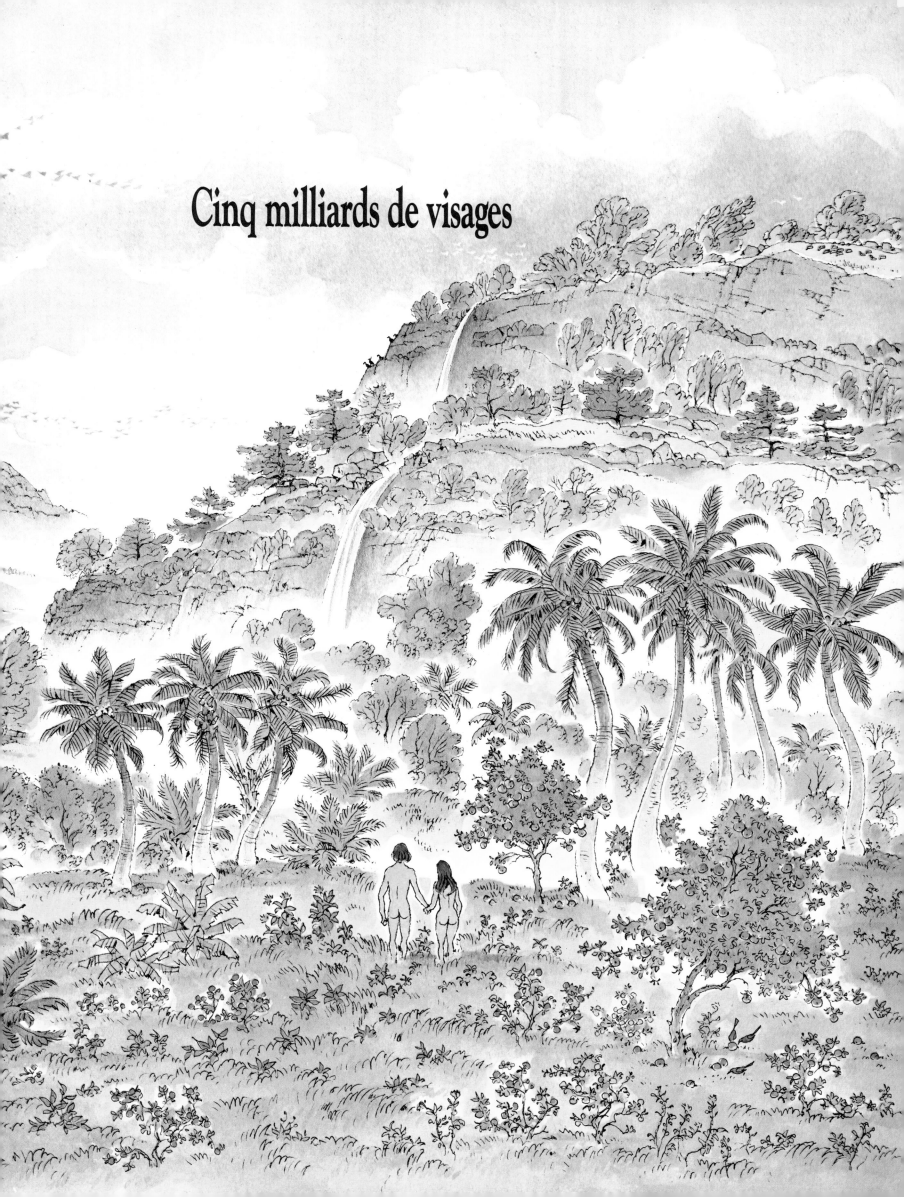

Cinq milliards de visages

A bien des égards, le dicton «Connais-toi toi-même» est inopportun.
Il eût été plus sensé de dire : «Connais les autres!»

Ménandre, 342-292, poète grec.

Par Peter Spier,
à l'école des loisirs

Les animaux ont la parole
Les animaux ont la parole (lutin poche)
L'arche de Noé
L'arche de Noé (lutin poche)
Quand on s'ennuie…
Dans les nuages
Le livre de Jonas

Texte français: Christian Poslaniec
© 1981, l'école des loisirs, Paris,
pour l'édition en langue française
© 1980, Peter Spier, pour les
illustrations et pour le texte original
Titre original: «People»
(Doubleday/ New York, 1980)
Loi n° 49.956 du 16 juillet 1949; mars 1981
Dépôt légal: septembre 1992
Imprimé en Grande Bretagne
Une coédition réalisée avec l'aide
de Angus Hudson, Londres.

Peter Spier
Cinq milliards de visages

l'école des loisirs
11 rue de Sèvres à Paris 6e

Nous savons tous qu'il y a des quantités de personnes dans le monde – et plusieurs millions de plus chaque année.

Il y a actuellement plus de 5.000.000.000 d'êtres humains sur Terre et s'il vous faut une heure pour parcourir ce livre, il y en aura 4500 de plus quand vous aurez fini !

En l'an 2000, il y aura 6.000.000.000 de personnes sur Terre. Si nous nous prenions tous par la main, ça donnerait une chaîne longue de 6.123.646 kilomètres, qui ferait 153 fois le tour de l'équateur.

Ou 16 fois la distance Terre-Lune.

Plus de 5.000.000.000 de personnes… et pas deux semblables !

Chacun de nous est différent de tous les autres.

Chacun, chacune, unique en son genre.

Chacun de nous a une silhouette différente de celle
des autres : grande, petite, ou entre les deux.

Mais sans aucune exception, nous avons tous été d'abord
tout petits !

Et nous n'avons pas la même couleur de peau.

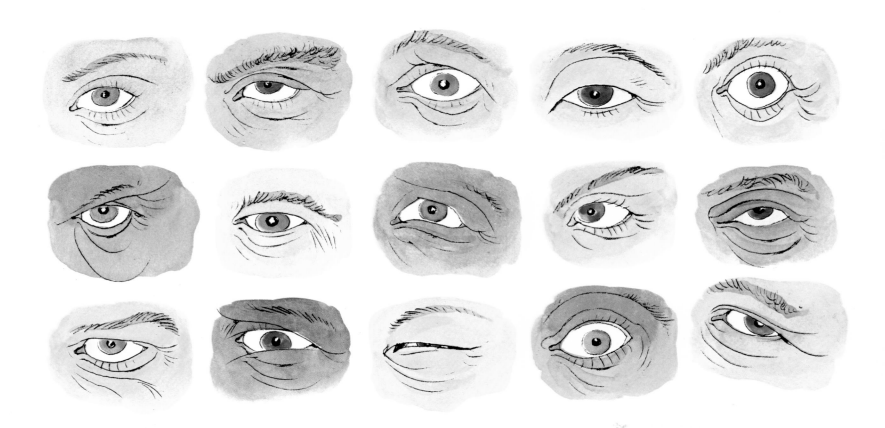

Même nos yeux sont différents de forme et de couleur.

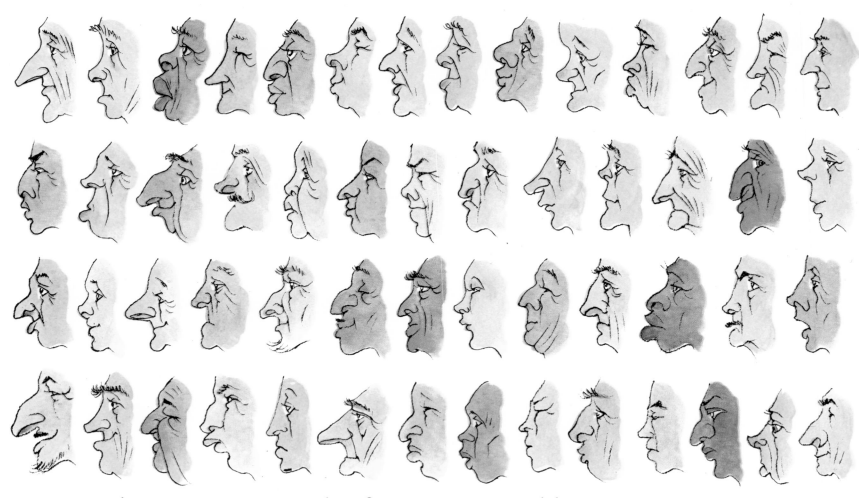

Et les nez ont toutes les formes imaginables!

Pareillement, les visages, les lèvres, les oreilles, et tout le reste!

Songez aux cheveux : ils varient du blanc comme neige
au noir le plus sombre... bouclés, torsadés, ou ondulés.
Et beaucoup de gens n'ont pas de cheveux du tout !

Les gens sont drôles ! Ceux qui ont les cheveux raides
veulent les avoir ondulés et d'autres, qui les ont frisés,
les veulent raides.

Chine

Ceylan

Grande
Bretagne

Bantou,
Afrique

Inde

Schaumbourg,
Allemagne

Caucase,
Russie

Normandie,
France

Amerindien

Sumatra

Irak

Japon

Pérou

Ecosse

Kurdistan

Garde suisse,
Cité du Vatican

Turquie

Eskimo

Indien, Brésil

Tibet

Pakistan

Nouvelle Guinée

Laponie

Java

Nigéria

Birmanie

Les gens, de par le monde, portent des vêtements
différents... ou bien, pas du tout.

Nous voulons tous paraître à notre avantage. Cependant, ce qu'on estime beau ou élégant quelque part, on l'estime laid ou même ridicule ailleurs.

Certains sont sages. D'autres sont stupides.
Mais la plupart d'entre nous sont entre les deux.

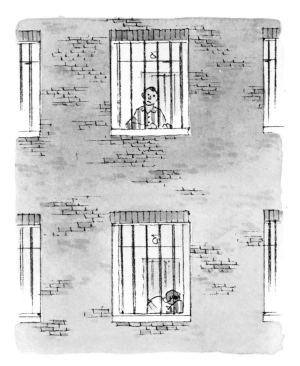

Beaucoup sont des braves gens, honnêtes, gentils et bien
intentionnés, mais ce n'est pas le cas pour tout le monde.

Certains aiment le bruit tandis que d'autres ne peuvent pas
le supporter !

Quant aux distractions, personne ne les voit de la même façon.

LANCER D'ARBRE, jeu des Highlands, Ecosse

BATAILLE DE CERFS-VOLANTS, Sud Est asiatique

PELOTE BASQUE, France et Espagne

PACHISI, «jeu national» de l'Inde

YOTÉ, joué dans des trous dans le sol, Afrique de l'Ouest

GO, le plus vieux jeu du monde connu, Chine

LANCER DU FER A CHEVAL, U.S.A.

CRICKET, Iles britanniques et Commonwealth

MURGE INLARAI, «le combat de coqs», Inde

COMBAT DE COQS, Indonésie

ROULETTE, un jeu de hasard qui se pratique dans le monde entier

BOULES, Italie et France. Les Grecs et les Romains y jouaient déjà dans l'antiquité

BILBOQUET, jeu d'adresse eskimo

VIEILLE DAME-VIEILLE DAME, un jeu de poursuite, Pakistan

FLÉCHETTES, originaire d'Angleterre

COMBAT DE POISSONS, Thaïlande

BONDIR SUR LE CHAMEAU, Rajasthan, Inde

DESSINS EN FICELLE, partout en Afrique

YOBIZUMO, la lutte du pouce, Japon

WARI, un jeu d'habileté, Afrique et Arabie

SHOGI, échecs japonais

RODÉO, U.S.A.

TIRER, Afghanistan

SUKATAN, un jeu de rapidité, Philippines

Partout les gens aiment jouer. Mais ils ne jouent pas aux mêmes jeux partout.

19

Nos goûts sont aussi différents que la nuit et le jour...

Village, Syrie

Bateau à riz, Chine

Longue maison indienne, Brésil

Venise, Italie

A l'arrière-plan : maison du village
Au premier plan : jhuggi, Inde

Papouasie,
Nouvelle Guinée

Sumatra, Indonésie

Tentes indiennes, U.S.A.

Maisonnette, Irlande

Bateau-maison, Hollande

Habitation troglodyte, Turquie

Maison mobile, U.S.A.

Chaumière, Angleterre

Hutte de roseau, Bolivie

Igloo eskimo, Arctique

Maisons aborigènes, Australie

Scandinavie

Château, Angleterre

Soudan, Afrique

Caravane

Maisonnettes, Japon

Tente bédouine, Arabie

Tchad, Afrique

Habitation moderne

Châlet, Suisse

Les habitations que nous construisons sont aussi diverses
que nous le sommes nous-mêmes. Mais nous avons tous
besoin d'un toit.

Ce qui fait rire les uns fait parfois pleurer les autres.

Certains, parmi nous, excellent à faire des choses que les autres seraient incapables de réaliser.

Beaucoup d'entre nous aiment se réunir tandis que d'autres préfèrent être seuls.

Nous aimons avoir toutes sortes de compagnons.

Chien, chat, bélier, lama, poney, perroquet, âne, lapin, chèvre, rat, poisson, corbeau

Tatou

Souris, gerboise, hamster, cochon d'Inde

Oiseaux

Grillons

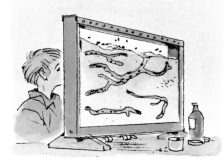

Fourmis

Tortue

Serpent

Grenouilles

Kinkajou, coati

Singes

Caméléon

Paon

Gecko

Mouffette

Fête de Perahera, Ceylan

Béfana, Italie

Thanksgiving, U.S.A.

14 juillet, France

Sainte Lucie, Suède

Kaonto matsuri, fête de la moisson, Japon

Hanoucca

Nouvel an chinois

Anniversaire de la Reine, Angleterre

Fête de St Nicolas, Hollande

Fête moga, Nouvelle Guinée

Noël

Et nous avons des fêtes et des jours fériés différents.

Et les choses que nous mangeons ne sont pas les mêmes.

Eskimos : graisse

Nouvelle Guinée : serpent et lézard

Hollande : hareng cru

Bataks, Sumatra : chien

Afrique : éléphant

Caraïbes : tortue de mer

France : cuisses de grenouilles et escargots

Amérique du sud : singe

Ce que des personnes considèrent comme un mets délicat, d'autres ne voudraient jamais y toucher ni, à plus forte raison, en manger !

Et des aliments que certains consomment sont interdits aux autres.

Chrétiens : 1.000.000.000

Juifs : 15.000.000

Musulmans : 500.000.000

Hindouistes : 467.000.000

Bouddhistes : 302.000.000

Shintoïstes : 62.000.000

Confucianistes : 305.000.000

Sikhs : 6.000.000

Taoïstes : 30.000.000

Nous pratiquons neuf religions principales... et il y en a aussi des milliers d'autres.

Dieu de la chance, Japon

Dieu brahmane de la danse, Inde

Dieu chinois de la longévité

Déesse hindoue du Gange, Inde

Déité, Nouvelles Hébrides

Madone à l'Enfant Jésus, Europe

Déesse de la lune, Chine

Dieu Yoruba de la tempête, Nigéria

La grande déesse Dêvî, Inde

Dieu des vents, Japon

Brahma le créateur, Inde

Dieu serpent hindou, Ceylan

1 6
2 7
3 8
4 9
5 10

Tu ne feras point de dieu en fonte
Exode, 34 : 17

Dieu de la mer, Nigéria

Dieu bouddhiste de la sagesse, Inde

Dieu hindou de la guerre, Inde

Adorateurs du soleil, Asie

Déité, Nouvelle-Guinée

Dieu de la santé, Chine

Beaucoup de gens croient à un seul Dieu… et des millions d'autres croient à plusieurs Dieux. Et des millions d'autres encore ne croient à rien du tout.

La plupart d'entre nous doivent travailler pour vivre mais vous n'imaginez pas le nombre de métiers différents qui existent.

Torero • Soldat • Cueilleur de thé • Gondolier • Clown

Charmeur de serpents • Diseuse de bonne-aventure • Gardien de musée • Inventeur • Scaphandrier

Astronaute • Porteur de fromage • Chanteur d'opéra • Conducteur de pousse-pousse • Archéologue

Vendeur de journaux, officier de police, laveur de carreaux, vendeur de ballons, livreur, balayeur, ramoneur, fruitier, installateur de téléphone, facteur, éboueur, pompier, musicien de rue.

La plupart des gens travaillent dur mais d'autres sont paresseux. Et il y a beaucoup de gens qui veulent du travail mais qui ne peuvent pas en trouver !

Et si quelques-uns, parmi nous, sont riches, la plupart ne le sont pas.
Et il y en a énormément qui sont extrêmement pauvres.

Presque tout le monde sait parler. Mais on parle
201 langues principales différentes sur la Terre...
sans même tenir compte des innombrables patois
et dialectes parlés par de plus petits groupes.

Signaux de fanions

Téléphone et satellite de communication

Tam-tam

Télévision

Télégraphe, code morse

Sémaphore

Projecteur de signalisation

Disques et cassette

Talkies-walkies

Et les sourds-muets peuvent communiquer silencieusement par le langage des signes !

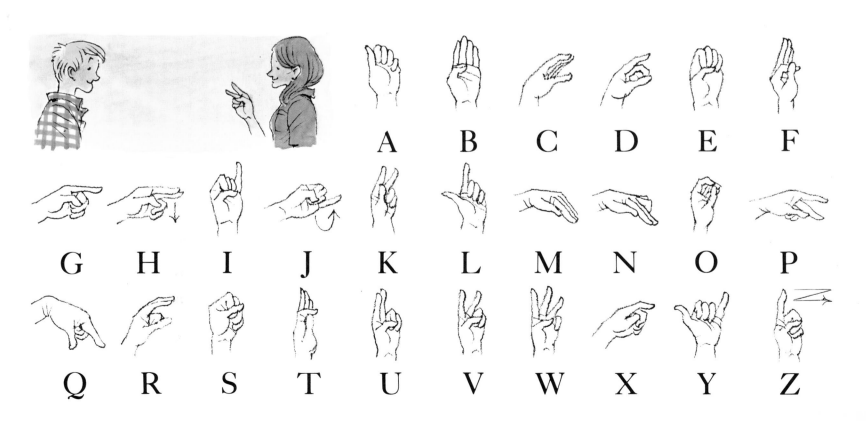

A B C D E F

G H I J K L M N O P

Q R S T U V W X Y Z

Left column

Gothique

Die ganze neuere Geschichte, dem Anscheine nach ein Triumphzug

Grec

παντοίων ἀγαθῶν, ἅπερ
ΑΒΓΔΞΟΠΡΣΤΥΦΧΨΩ

Gaélique

beata maptanas aiġe.

Cyrillique

Інсочса имжть льстиж и

Russe

Французская литература

Arménien

Երբ այսպես ասեն

Géorgien

Georgian script text

Copte

ΠΕΝΕΙΩΤ ΕΤ ϬΝΜΠΗΥΕ

Hébreu

וַיֹּאמֶר אֱלֹהִים יְהִי אוֹר וַיְהִי־אוֹר:

Arabe

مُلْكِهِ مَرْأَى رَهْجًا قَرِيبًا مِنْهُ فَقَا

Arabe (Tunisie)

هكذا فول لكم

Arabe (Perse)

Arabic (Persian) script text

Right column

Ethiopien

እስመ ፡ ከመዝ ፡ አፍቀረ ፡

Syriaque (Estrangelo)

Syriac Estrangelo script text

Syriaque (Serto)

Syriac Serto script text

Persan

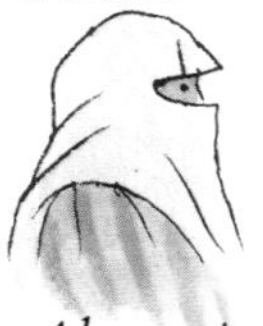

Persian script text

Ahwastique

Ahwastique script text

Devânagari

यत ईश्वरो जगतीयं प्रेम

Bengali

আমি তোমাদিগকে বলিতেছি,

Gujarati

કેમકે ઓદાએ દુનીઆ

Tibétain

Tibetan script text

Tamoul

தேவன் தம்முடைய ஒரேபேரான

Télougou

ఆలా నే మతి ఉఃతాని

Kanara

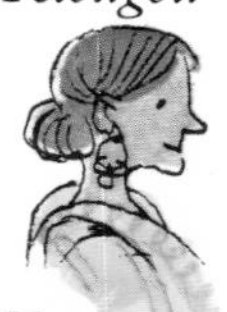

ದೇವರು ಲೋಕದ ಮೇಲೆ ಎಷ್ಟೋ

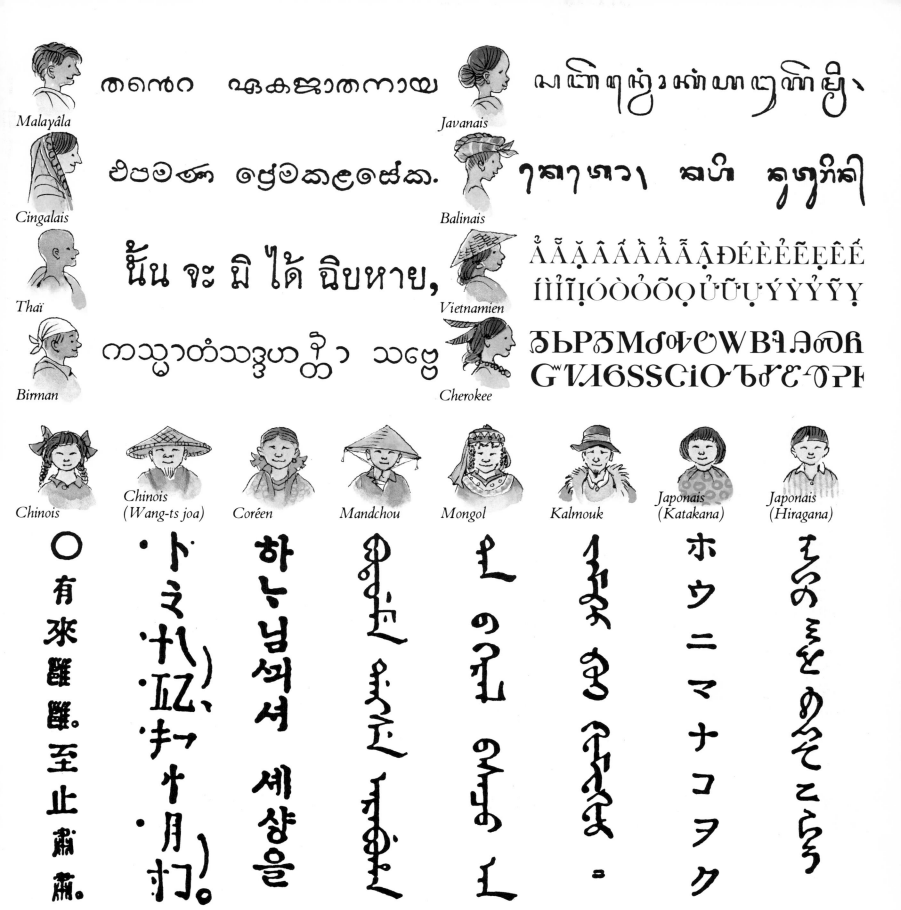

Malayâla

Cingalais

Thaï

Birman

Javanais

Balinais

Vietnamien

Cherokee

Chinois

Chinois (Wang-ts joa)

Coréen

Mandchou

Mongol

Kalmouk

Japonais (Katakana)

Japonais (Hiragana)

Il s'en faut de beaucoup que tout le monde sache lire et écrire et cependant on peut le faire d'une centaine de façons différentes.

Quelques personnes, mais très peu, détiennent un immense pouvoir, tandis que la plupart d'entre nous n'en ont pas du tout.

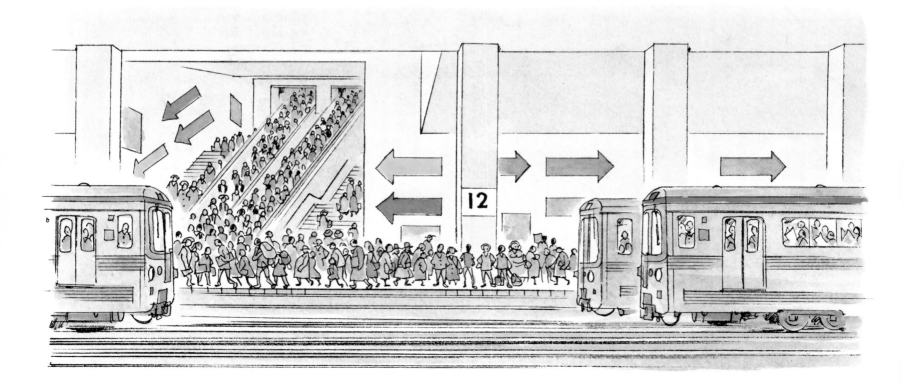

Couronne royale	Coiffe ducale	Couronne de marquis	Couronne de vicomte	Coiffe princière			
Coiffe d'électeur	Couronne de baronnet	Couronne de baron	Couronne de comte	Tiare papale			

Amiral	Amiral d'Escadre	Vice Amiral	Contre Amiral	Capitaine de Vaisseau	Capitaine de Frégate	Capitaine de Corvette	Lieutenant de Vaisseau
Enseigne de Vaisseau 1e cl.	Enseigne de Vaisseau 2e cl.	Aspirant	Premier Maître	Second Maître	Quartier Maître	Matelot 1e cl.	Matelot 2e cl.

Sous-diacre	Diacre	Prêtre	Monseigneur	Evêque	Archevêque	Cardinal	Pape

Nous avons inventé là un curieux système : des grades,
des rangs, des classes...
Pourtant, nous vivons tous sur la même planète, respirons
le même air et nous nous chauffons au même soleil.

Et finalement nous devons tous mourir.

Pyramide de Cheops, Egypte.
Chéops, 2680 av. JC, pharaon.

Louis Chevrolet, 1879-1941:
Industriel américain.

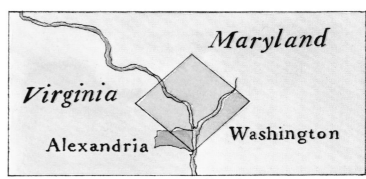
Henriette Marie, 1605-1669: Reine d'Angleterre.
George Washington, 1732-1799: Général et président des USA.
John Alexander, 18e siècle: Grand propriétaire américain.
Virginie: Elisabeth 1ere, 1533-1603: Reine d'Angleterre.

Alessandro Volta, 1745-1827:
Physicien italien.
James Watt, 1736-1819:
Inventeur écossais.

James Chapman, 19e siècle:
Explorateur britannique.

Auguste, 63 av. JC-14 ap. JC:
Empereur romain.

George F. Händel, 1685-1759:
Compositeur anglais.

Martin Luther, 1483-1546:
Réformateur allemand.

Winston S. Churchill, 1874-1965:
Homme d'état britannique, écrivain.

George II, 1683-1760:
Roi de Grande-Bretagne.

Mohandas K. Gandhi, 1869-1948:
Leader nationaliste indien.

Ludwig van Beethoven, 1770-1827: Compositeur allemand.

John F. Kennedy, 1917-1963:
Président des USA.

Bartoloméo Colleoni, 1400-1475:
Soldat de la chance italien.

Etoile de David.
David, † 972 av. JC:
Roi hébreu.

Tremplin: M. du Trampolin:
Acrobate français du moyen âge.

Wilhelmine, 1880-1962: Reine des Pays-Bas.

Sir Thomas Lipton, 1850-1931:
Marchand écossais.

Colonne Nelson, Londres.
Vicomte Horatio Nelson,
1753-1805: Amiral anglais.

Gardénia.
Alexander Garden, 1791 :
Naturaliste écossais.

Pierre Corneille, 1606-1684 : Dramaturge français.

Jésus Christ, † 33 ap. JC.

Néron, 37-68 ap. JC :
Empereur romain.

Mont Everest, Népal, Tibet.
Sir George Everest, 1790-1866 :
Géographe britannique.

Benjamin Franklin, 1706-1790 :
Homme d'état américain, chercheur.

Louis Pasteur, 1822-1895 :
Médecin français.

L'honorable C.S. Rolls,
1877-1910 : Industriel
britannique.
Sir F.H. Royce, 1863-1933 :
Ingénieur britannique.

Guillotine : Dr Guillotin
né en 1738, médecin français.

Rudolph Diesel, 1858-1913 :
Ingénieur allemand.

Pingouin Adélie.
Adélie d'Urville :
Femme de l'explorateur
français du 19e siècle.

Table Louis Quinze.
Louis XV, 1710-1774 :
Roi de France.

St Valentin, 270 :
Prêtre martyr romain.

William Shakespeare, 1564-1616 :
Dramaturge anglais.
Richard II, 1367-1400 :
Roi d'Angleterre.

Christophe Colomb, 1451-1506 :
Explorateur italo-espagnol.

Haakon VII, 1872-1957 :
Roi de Norvège.

Certains d'entre nous restent très longtemps dans le souvenir des gens. Et cela aussi se fait d'innombrables façons.

Cinq milliards d'êtres humains… des jeunes et des vieux, des malades et des bien-portants, des gens heureux et malheureux, aimables ou désagréables, forts ou faibles.

Des gens partout.
Et tous différents.

C'est étrange : certains vont jusqu'à en haïr d'autres
parce qu'ils ne leur ressemblent pas. Parce qu'ils sont
différents. Ils oublient qu'eux aussi paraissent différents
aux yeux d'autrui.

Mais imaginez comme ce monde, le nôtre, serait horriblement triste si tout le monde ressemblait à tout le monde, si chacun pensait, mangeait, s'habillait et agissait de la même façon !

Alors, n'est-ce pas merveilleux un monde où personne
ne ressemble à personne ?